餐桌上的中药

黄芪

钱嘉豪 编著　张群湘博士 审订

广州出版社

图书在版编目（CIP）数据

黄芪/张群湘主编. —广州：广州出版社，2011.4
（餐桌上的中药）
ISBN 978-7-5462-0474-1

I. ①黄… II. ②张… III. ①黄芪－基本知识
IV. ①R282.71

中国版本图书馆CIP数据核字（2011）第059376号

广东省版权局版权合同登记图字：19-2011-042

朗声图书

中文简体版由香港万里机构出版有限公司授权
广州市朗声图书有限公司于中国大陆地区专有使用

餐桌上的中药·黄芪

出版发行　广州出版社
　　　　　（地址：广州市天河区天润路87号广建
　　　　　大厦九楼、十楼　邮政编码　510635
　　　　　www.gzcbs.com.cn）
策　　划　欧阳群
责任编辑　董　平　何　娴
特邀编辑　张晓明
封面设计　半亩方塘
印　　刷　湛江南华印务有限公司
　　　　　（地址：广东省湛江市霞山区绿塘路61号
　　　　　邮政编码　524002）
规　　格　889mm×1210mm　开本　1/32
总 字 数　403,200
总 印 张　18
版　　次　2011年5月第1版
印　　次　2011年5月第1次
书　　号　ISBN 978-7-5462-0474-1
总 定 价　82.80元（全六册）

享传奇食材
做健康达人

"药补不如食补。"食补是历史悠久的养生观念，而且是很讲究的一门学问。所谓药食同源，是指选对食材，不但可以汲取丰富的营养，更能防病抗病。选对食材，改变不良的饮食习惯，对不少慢性病患者也有裨益。

日常最天然的中药，也可以是美味的食材。如果能从自然食材的配搭中找到保健的方法，岂不是平凡生活中的一大乐事？

在物流发达的今天，人们已经可以非常方便地购买来自世界各地的食材，餐桌上无国界的现象越来越普遍。面对种类多样、数量庞大的食材，该如何进行选择呢？

《餐桌上的中药》系列搜罗当下保健功效显著、味道佳，且餐桌上使用频率较高的中药，如枸杞、百合、淮山、莲子、桂圆、红枣、黄芪等的相关内容，分别编撰成册，给读者提供最实用的保健功效常识，介绍鉴别真伪优劣的方法、应用和保存之道以及食用宜忌等，并分别重点介绍100多款家庭食用方法。

相信在举家围坐餐桌、享受美食的过程中，你已不知不觉成为了健康达人。

编者

目录

食材档案

黄芪(耆)

Huáng Qí

Astragalus Root / Milk-Vetch Root

别名 北芪、箭芪、绵芪、口芪、黑皮芪、白皮芪、红芪、独芪

【拉 丁 名】Radix Astragali

【拉丁学名】Astragalus Membranaeus / Astragalus Mongholicus

【科目来源】豆科多年生草本植物。

【药用部位】蒙古黄芪或膜荚黄芪的干燥根。

【性味归经】味甘，性微温；归脾、肺经。

【功效分类】补气升阳，固表止汗，托毒生肌，利水消肿。

【功效主治】有益气补虚、强壮脾胃的功效，适用于脾气虚弱、倦怠乏力、食少便溏者。现代研究表明，黄芪含多种抗菌成分，能增强免疫功能，从而预防传染病的发生。另外，它能增强细胞的新陈代谢，有抗疲劳、抗衰老、抗辐射、保护肝脏等功能。

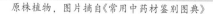

原株植物，图片摘自《常用中药材鉴别图典》

黄芪所含有效化学成分众多，主要有以下几种：

① 黄芪皂苷

文献记载，黄芪皂苷平均含量约为1.955mg/g。研究表明，黄芪中含有大量的皂苷类及三萜类化合物，约有50多种左右，它们大多属于四环三萜类，其中有大豆皂苷和含量较多的黄芪皂苷Ⅳ，即黄芪甲苷。

② 黄芪多糖

黄芪所含多糖主要为黄芪多糖Ⅰ、Ⅱ，葡聚糖AG-1、AG-2，杂多糖AH-1、AH-2。黄芪多糖的药理作用主要表现在增强身体免疫、调节血糖、对心血管系统的作用以及抗衰老等方面，其主要免疫功能表现在：对非特异性免疫功能的影响；对自然杀伤细胞（NK）的影响及抗肿瘤作用；对体液免疫和细胞免疫的影响。

③ 黄酮类

黄芪所含黄酮主要为黄酮类、异黄酮类、二氢黄酮类。

④ 氨基酸类

从蒙古黄芪根中测定了21种游离氨基酸的含量。黄芪中总氨基酸含量为8.0458%，其中人体必需氨基酸为3.199%，占氨基酸总量的40%。

⑤ 生物碱类

从膜荚黄芪中可分离出胆碱和甜菜碱。

⑥ 有机酸类

黄芪的有机酸主要有香草酸、阿魏酸、异阿魏酸、对羟苯基丙烯酸、咖啡酸、绿原酸及棕榈酸。

⑦ 微量元素

黄芪中含有20多种微量元素，以铁、锰、锌和铝含量较大，另外还有硒、钪、铬、钴、铜、铯、镧、铷等。

⑧ 其他

黄芪中还含有胡萝卜苷、叶酸、β-谷甾醇、亚油酸、亚麻酸、咖啡酸、核黄素、苦味素、香豆素、尼克酸、维生素P、淀粉等成分。

黄芪主要有效成分	质量百分比（经查文献取值）
黄芪皂苷	约0.2616%
黄酮类	约4.6%
黄芪多糖	约6.78%
氨基酸类	约8.0458%

膜荚黄芪

黄芪有效成分	含量
黄芪甲苷	1.186±0.024mg/g
总黄酮	46±1.414mg/g
10-羟基-3,9-二甲氧基紫檀烷	84.640±3.069μg/g
总多糖	48.800±1.245mg/g

蒙古黄芪

黄芪有效成分	含量
黄芪甲苷	0.710±0.030mg/g
总黄酮	45±4.243mg/g
10-羟基-3,9-二甲氧基紫檀烷	19.955±0.813μg/g
总多糖	73.310±0.962mg/g

（注：以上膜荚黄芪、蒙古黄芪两种黄芪有效成分含量表格数据参考杜旻、吴晓俊、刘涤、胡之璧的《黄芪化学质量标准的初步研究》一文，载自《中成药》，2001年第23卷第10期。）

黄芪有益元气、壮脾胃、去肌热、排脓止痛、敛疮生肌、活血生血的功效，能治水肿尿少、出汗不止、气虚乏力、食少便溏、便血崩漏、子宫脱垂、久溃不敛、内热消渴、慢性肾炎蛋白尿、糖尿病。

专家说法 抗肿瘤 主要应用多种癌症

黄芪含有微量元素硒，这是一种人体必需的元素，能对抗各类致癌的重金属如镉、汞、甲基汞等。另一方面，恶性肿瘤的发生和细胞免疫功能衰退有关，而黄芪所含的硒可以参与多种酶的合成和活化，保护细胞免受生物氧化过程的损害。其所含的多糖更能增强网状内皮系统的吞噬功能、促进抗体形成及T淋巴细胞转化，有效提升抗癌能力。根据临床实验，黄芪对干预癌细胞增殖有很显著的效果。

专家说法 促进伤口愈合

主要应用烧伤及其他皮肤创伤

黄芪益气固表、托毒生肌、利水消肿，有调节巨噬细胞活性、减少有毒因数、抗氧化、清除自由基的作用。用于皮肤创伤，可增强毛细管抵抗力、减少伤口附近的血管渗血，从而预防炎症反应，促进伤口愈合。

抗过敏 主要应用带状疱疹后遗神经痛

研究显示，由带状疱疹病毒引起的炎症由于有嗜神经性，患处往往非常疼痛。而黄芪性质偏于走表，属表皮之药，能令毒素以深就浅，并进一步托毒外出，既可去毒解淤，更可益气活血通络。另外，由于黄芪能改善微循环及毛细管通透性，所以也有抗炎、抗过敏的功效。

 促进胰岛素分泌

主要应用糖尿病及其并发症

糖尿病主要与体内糖、脂肪、蛋白质代谢失常以及胰岛素分泌不足有关。胰岛素是人体使用能源的原动力，也是糖分解与合成的起动环节。因此，胰岛素不足可导致糖不能被正常分解，而令脂肪和蛋白质分解增加产生乳酸堆积等症状。黄芪有促进胰岛素分泌的作用，有利于各种营养素的分解与代谢。研究证实，用黄芪进行中西医配合运用，能有效防治糖尿病及其引起的各类不良反应。

护肾 主要应用慢性肾衰竭

慢性肾衰竭所引致的贫血，与肾脏促进血细胞生成素分泌的减少，以及尿毒症患者血液的有毒物质干扰细胞生成有关。而线粒体是细胞进行氧化及提供能量的重要细胞器，对缺血缺氧反应敏感，甚至会因此导致细胞死亡。而黄芪有抗氧化、清除自由基、促进细胞代谢、利尿消肿及增加钠排出的作用，还有减少尿蛋白排泄等功效，能保护肾脏细胞免受伤害，从而抑制肾衰竭。

 护肝 主要应用乙型肝炎及肝纤维化

慢性肝病会引致肝纤维化，但它属于可逆病症。黄芪能促进肝细胞合成蛋白、增强网状内皮系统和巨噬细胞功能、提高淋巴细胞转化率和人体免疫力，并能有效促进肝细胞的再生。另外，黄芪有多种成分，具有扩张血管、保护肝功能、增加身体的非特异性免疫功能等作用，通过改善肝内血液微循环，减少氧自由基形成，调节体液免疫和细胞免疫功能使之趋于正常，从而减轻肝细胞变性坏死及炎症反应，并能抑制乙型肝炎病毒的复制作用，从而缓和病情。

 增强免疫力

主要应用流行性感冒及癌症患者

黄芪属于扶正固本、补中益气的药材，含有黄芪多糖、黄酮等化合物和微量元素，可促进细胞因数的分泌，进一步发挥免疫调节作用。它亦能增强网状内皮系统的吞噬功能，使血白细胞及多核白细胞数量显著增加，使巨噬细胞吞噬病毒的百分率显著上升，对体液免疫、细胞免疫均有促进作用。黄芪有双向免疫调节作用，对于受癌症疗法或辐射影响而免疫力不足的人士，可使其身体从免疫低下状况中恢复。而且黄芪具有干扰病毒生成的功效，一般人在感冒流行期间服用，可增强免疫力；即使不幸患病，症状也会较轻，康复也较快。

降血压 主要应用高血压及半身不遂

研究显示，黄芪有降血压的作用，并能减少血栓形成、降低血小板黏附，对血小板聚集也有明显抑制作用。这是由于黄芪所含的成分，具有扩张冠状动脉和外周血管的作用，从而减低血管阻力。因此，黄芪对正气亏虚而血脉不利者，有非常出色的疗效。

 ## 改善心肺功能 主要应用肺源性心脏病

黄芪能够抑制磷酸二酯酶的活性，减少环磷腺苷的分解，而加强心肌细胞的活动。另外，它能抑制血小板聚集、缓和血管阻力、降低血液黏度及凝固性，在改善微循环、促进肺部换气、改善喘憋症状、恢复通气功能、提高肺部供氧能力方面尤其显著，有利于减轻心脏负荷，并提高心肌的耐缺氧能力。

 ## 改善心肌代谢

主要应用老年慢性心律失常

老年慢性心律失常包括病态窦房结综合症、房室传导阻滞等，可引发头晕、心悸、呼吸急促，严重者会出现心绞痛、心力衰竭甚至猝死。而黄芪所含的多糖、黄芪皂苷可改善心肌代谢、增加心肌收缩力、提高心肌耐缺氧能力，从而使心率加快，能强化因老年疲劳而衰竭的心脏，保护心血管系统，抗心律失常。

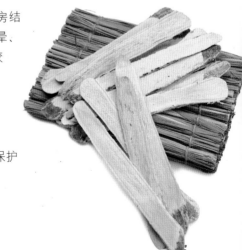

增强抗毒能力

主要应用病毒性心肌炎

病毒性心肌炎是一种感染性心脏疾病，和自身的免疫力有关。黄芪可以增强心肌细胞的抗毒能力，于患病早期使用黄芪，能帮助治疗急性柯萨奇病毒性心肌炎，改善心肌酶的活性。这是由于黄芪具有钙拮抗性质，可改善受感染细胞的钙平衡，从而减轻它对细胞的继发损伤，又可抑制病毒的复制作用，保护心肌免受进一步感染。

保护心肌细胞 主要应用冠心病

研究指出，大量活性氧自由基的生成及脂质过氧化反应的增强，有可能引致心肌缺血。黄芪是氧自由基的良好清除剂，稳定缺血的心肌细胞保护线粒体与溶酶体，同时改善心肌细胞的代谢，维持细胞膜的完整性。另一方面，黄芪能减轻由于缺血引起的钙积聚，并保护细胞膜的钙泵功能，从而缓和缺血心肌内的钙超载，以保护心肌，有效防治冠心病。

健脑 主要应用脑血管疾病

黄芪是最佳的补气药材之一，研究证明，它能逐五脏淤血、加强脑细胞的代谢作用、促进脑蛋白的更新、扩张脑血管、增加脑血流量、改善脑水肿等，令脑细胞得到保护，并修复已受损的脑细胞功能。另一方面，黄芪中的甲苷有镇定作用，能加强学习能力及巩固记忆。研究发现，黄芪能抑制黄嘌呤氧化酶活性和提高超氧化物歧化酶活性，从而清除自由基，减轻脑组织损伤。

Q 黄芪有哪些食用方法?

A 一般而言,黄芪可以单独或加入复方,按照中医的指示煎服饮用。另外,黄芪可以配搭普通食材,以炖、烧、蒸、煮、焖、煲汤、煮粥、冲饮等方式烹调。

Q 黄芪怎样有效保健配伍?

A 黄芪通常的配伍与保健功效如下:

配伍	保健功效
人参、炙甘草、桂枝、生姜	大补元气,能改善心脏功能,对心力衰竭有很好的疗效。
当归	黄芪补气,当归补血,两者配合更能彰显补益效果。
防风、白术、茯苓	健脾益气、利尿消肿,能治气虚失运、尿液分泌失衡。
生地、五味子、天花粉	这些药材有益阴生津的功效,配合黄芪使用,可治气虚津亏的消渴症。
川芎、甲珠、皂角刺	透脓托疮生肌,能加速伤口愈合,对气血不足引致的皮肤溃烂很有疗效。
地龙、桃仁、红花	改善气虚血滞,可用于半身不遂人士。
牡蛎、麻黄根、浮小麦	治体虚不足,能改善多汗盗汗等情况。
淮山、山茱萸	改善脾肾两虚、精亏液耗引致的消渴症。

Q 如何选购黄芪?

A 在选购时,应仔细观察黄芪的大小、外形、断面,尤其留意味感。

①选购原枝。根据规定,黄芪的原植物必须是豆科植物蒙古黄芪或膜荚黄芪的干燥根。黄芪药材呈圆柱形,上端较粗,下端较细,两端平坦,部分会出现分枝,表面呈赤黄色或淡棕褐色,有不整齐的纹理。黄芪质硬而有韧性,不易折断;折断后表面呈纤维化,呈毛状;外层皮部黄白色,中间木部却带淡黄色,有明显的菊花心,显放射形状的纹理和裂缝;老根的中心偶尔会有枯朽的部分,带粉性而呈黑褐色,属正常情况。

②选购黄芪片。除了原枝发售，市面上也常见片装黄芪。它们多呈圆形或椭圆形厚片，质地坚韧，表面黄白色，中心则呈黄色。另外也有经蜜糖加工的黄芪片（蜜炙黄芪），外形和普通黄芪片相似，但颜色略深而带蜜香。

③值得注意的是，由于黄芪产量有限，部分不法商人会掺杂不含药用价值的化学品；所以在选购时必须留意黄芪的颜色和质感，这些黄芪一般是粉性小、质硬而不软绵，价格较低。同时也应轻嗅产品，气微、味甘、嚼有豆腥味的方为正品，有异味或苦涩味并伴豆腥味很浓的则不宜购买。

Q 黄芪有品种之分吗？

A 黄芪一般以产地作为分类：以西北及内蒙古出产的质量是最好的，其质量好坏与微量元素硒有很大关系，越是质地好的黄芪，含硒量越高。在北方生长的黄芪也称"北芪"，功效和黄芪相同，疗效比较强烈。至于各类金翼黄芪、梭果黄芪、多花黄芪、多序岩黄芪、塘谷耳黄芪、扁茎黄芪等，虽然都有"黄芪"之名，但只属黄芪药材的代用品，性质和功效都不可同日而语，所以在选购时必须格外留意。

Q 黄芪是如何分级的？

A 黄芪规格较复杂，除按产地分类外，按性状又分为黑皮芪、白皮芪、红皮芪三种，每种等级规格标准为：

级别	特等	一等	二等	三等
种类	干货	干货	干货	干货
形状	呈圆柱形的单条，斩去疙瘩头或喇叭头，顶端间有空心。	呈圆柱形的单条，斩去疙瘩头或喇叭头，顶端间有空心。	呈圆柱形的单条，斩去疙瘩头或喇叭头，顶端间有空心。	呈圆柱形的单条，斩去疙瘩头或喇叭头，顶端间有空心。
色泽	表面灰白色或淡褐色。断面外层白色，中部淡黄色或黄色。	表面灰白色或淡褐色。断面外层白色，中部淡黄色或黄色。	表面灰白色或淡褐色。断面外层白色，中部淡黄色或黄色。	表面灰白色或淡褐色。断面外层白色，中部淡黄色或黄色。
质地	质硬而韧，有粉性。	质硬而韧，有粉性。	质硬而韧，有粉性。	质硬而韧，有粉性。
气味	有生豆气。	有生豆气。	有生豆气。	有生豆气。
味道	味甘，有豆腥味。	味甘，有豆腥味。	味甘，有豆腥味。	味甘，有豆腥味。

级别	特等	一等	二等	三等
规格	长70厘米以上，上中部直径2厘米以上，末端直径不小于0.6厘米。	长50厘米以上，上中部直径1.5厘米以上，末端直径不小于0.5厘米。	长40厘米以上，上中部直径1厘米以上，末端直径不小于0.4厘米。	不分长短，上中部直径0.7厘米，末端直径不小于0.3厘米。
品质	无根须、老皮、虫蛀、霉变。	无根须、老皮、虫蛀、霉变。	间有老皮，无根须、霉变。	间有破短节子，无根须、虫蛀、霉变。

Q 怎样贮藏黄芪？

A 由于黄芪受潮容易发霉，令两端及断面出现白色、绿色霉斑，失去药用价值。因此购买后要用器皿密封，置于通风干燥的位置，以确保防潮、防蛀。

Q 黄芪有哪些使用禁忌？

A 黄芪虽有很好的补益效果，但部分人士不宜服用，否则会影响身体健康。例如湿热、热毒炽盛者服用黄芪，容易滞邪而加重病情；阴虚者服用则会助热，易伤阴动血。

①湿热：此类人士会有口苦口干、舌苔黄腻等症状。若必须服用黄芪，可配清利湿热药，如黄连、茵陈、黄芩等。

②热毒炽盛：此类人士会有腹膜发炎、满面通红、喉咙痛、口苦口干、唇舌红绛、舌苔黄燥等症状。若必须服用黄芪，可配清热解毒药，如黄连、栀子、大黄、败酱草等。

③阴虚：此类人士会有手足心热、口咽干燥、腰酸背痛、潮热盗汗、舌红无苔等症状。如必须服用黄芪，可配养阴药，如生地、熟地、玄参、麦冬、天冬、玉竹等。

Q 如何控制黄芪的用量？

A 一般而言，健康的成年人可使用10~30克黄芪，如果想达到治疗的效果，可视情况而加至30~60克。但黄芪属性偏温，能补气升阳，易于助火，所以热毒亢盛者不宜食用。此外，有研究证明黄芪可使染色体畸变率和细胞微核率明显增高，故孕妇亦不宜长期大量使用。黄芪虽然不含毒性，但过量食用会导致胸口翳闷。故有任何疑问，应先向中医咨询，方能安心食用，达到最好的保健功效。

餐桌营养菜式

黄芪人参茶

功效 **补益气血**

用途	适用于脾气虚弱引起的贫血虚弱。
材料	黄芪15克，人参6克，甘草4克。
做法	1. 黄芪、甘草、人参洗净。 2. 把以上材料放入锅中，加入适量水，用大火煮沸，改用小火煮30分钟，即可饮用。
食用	早晚分饮。

功效 益气养阴，清热活血

用途 适用于气阴两虚、心失所养、淤阻心脉、气血失和之心脏疾病。

材料 黄芪、党参、丹参、苦参、玄参、沙参各10克。

做法
1. 黄芪、党参、丹参、苦参、玄参、沙参洗净。
2. 把以上材料放入锅中，加入适量水，用大火煮沸，改用小火煮30分钟，即可饮用。

食用 每天1剂，分2次饮用。

玄参

功效 健脾益气，调和营卫

用途 适用于营卫不和之自汗，乙型肝炎患者肝区疼痛、乏力。

材料 黄芪15克，红枣3粒。

做法
1. 黄芪、红枣洗净；红枣去核。
2. 把以上材料放入锅中，加入适量水，用大火煮沸，改用小火煮20分钟，即可饮用。

食用 代茶饮，宜温饮。

红枣

功效 补气养血，和中益胃

用途 适用于气血虚弱之抵抗力较差、易受风寒。

材料 黄芪20克，红枣15克，生姜3片。

做法
1. 黄芪、红枣、生姜洗净；红枣去核。
2. 把以上材料放入锅中，加入适量水，用大火煮沸，改用小火煮1小时，即可饮用。

食用 代茶饮，宜温饮。

生姜

功效 补气健脾，养血安神

用途 适用于气血虚弱之神经衰弱、贫血。

材料 黄芪、桂圆各30克，红枣10克。

做法
1. 黄芪、桂圆、红枣洗净；红枣去核。
2. 把以上材料放入锅中，加入适量水，用大火煮沸，改用小火煮20分钟，即可饮用。

食用 代茶饮。

桂圆肉

功效 益气养血，理气和胃

用途 适用于气血虚弱、肠胃气滞所致的胀满、食积、呕逆。

材料 黄芪、枳壳、红枣各30克。

做法
1. 黄芪、枳壳、红枣洗净；红枣去核。
2. 把以上材料放入锅中，加入适量水，用大火煮沸，改用小火煮20分钟，即可饮用。

食用 代茶饮，宜温饮。

枳壳

功效 补中益肾，养气安神

用途 适用于气血虚弱所致的贫血、神经衰弱、失眠。

材料 黑豆100克，黄芪50克，红枣30克。

做法
1. 黑豆、黄芪、红枣洗净；红枣去核。
2. 把以上材料放入锅中，加入适量水，用大火煮沸，改用小火煮至黑豆熟透，即可饮用。

食用 每天早晚分食。

黑豆

25

功效 **补气养阴**

用途 适用于虚热咳嗽，内分泌失调。

材料 黄芪20克，花旗参3片，红枣5粒。

做法
1. 黄芪、花旗参、红枣洗净；红枣去核。
2. 把以上材料放入锅中，加入适量水，用大火煮沸，改用小火煮20分钟，即可饮用。

食用 每天1剂，分2次饮用。

花旗参

功效 **健脾益气，降脂养血**

用途 适用于气血虚弱之高血脂症、贫血。

材料 黑木耳20克，黄芪15克，白芍10克，红枣10粒，冰糖适量。

做法
1. 黑木耳、黄芪、白芍、红枣洗净；黑木耳浸软，去蒂，切块；红枣去核。
2. 把以上材料放入锅中，加入适量水，用大火煮沸，改用小火煮30分钟。
3. 加入冰糖，拌匀，煮10分钟即成。

食用 早晚分饮。

Tips

黄芪的生长分布

　　黄芪是常用药材之一，分为蒙古黄芪和膜荚黄芪。顾名思义，野生黄芪主要产自中国长江流域以及北方地区，例如蒙古黄芪生长于内蒙古、吉林、河北，而膜荚黄芪生长于黑龙江、山西等地。虽然南方的江苏也有野生黄芪，但由于北方出产的品质较佳，故专称为"北芪"。黄芪在山西等地产量充足，被奉为地道药材，而山西的浑源和甘肃的陇西更被称为"黄芪之乡"。

功效 补气养血

用途	适用于气血虚弱之发热、头晕、自汗、心悸等。
材料	黄芪15克，当归、赤芍、丹皮各5克。
做法	1.黄芪、当归、赤芍、丹皮洗净。 2.把以上材料放入锅中，加入适量水，用大火煮沸，改用小火煮30分钟，即可饮用。
食用	代茶饮，宜温饮。

赤芍

功效 健脾祛湿

用途	适用于脾胃湿阻之倦怠乏力、食少便溏。
材料	黄芪、陈皮各10克，党参、白术各5克。
做法	1.黄芪、陈皮、党参、白术洗净；陈皮浸软，去瓤。 2.把以上材料放入锅中，加入适量水，用大火煮沸，改用小火煮30分钟，即可饮用。
食用	早晚分饮。

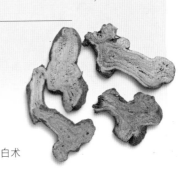

白术

功效 益气养血

用途 适用于气血虚弱所致的贫血。

材料 黄芪、党参各20克，乌梅15克，炙甘草5克。

做法
1. 黄芪、党参、乌梅、炙甘草洗净。
2. 把以上材料放入锅中，加入适量水，用大火煮沸，改用小火煮15分钟，即可饮用。

食用 代茶饮。

乌梅

功效 补气养血

用途 适用于气血虚弱之倦怠乏力、精神不振。

材料 黄芪、桂圆各25克，党参10克，蔗糖2汤匙。

做法
1. 黄芪、桂圆、党参洗净。
2. 把以上材料放入锅中，加入适量水，用大火煮沸，改用小火煮30分钟。
3. 加入蔗糖，拌匀后煮沸，即可饮用。

食用 早晚分饮。

党参

功效　补中益气

用途	适用于脾胃虚弱、气血不足之疲倦乏力、胃口欠佳、气短声低。
材料	黄芪、党参各10克，炙甘草、陈皮各5克，红枣3粒。
做法	1. 黄芪、党参、炙甘草、陈皮、红枣洗净；陈皮浸软，刮去瓤；红枣去核。 2. 把以上材料放入锅中，加入适量水，用大火煮沸，改用小火煮30分钟，即可饮用。
食用	代茶饮。

陈皮

功效　补气养血

用途	适用于气血虚弱兼淤滞的患者。
材料	黄芪、当归各10克，月季花、凌霄花各3克，红枣3粒。
做法	1. 黄芪、当归、月季花、凌霄花、红枣洗净；红枣去核。 2. 把以上材料放入锅中，加入适量水，用大火煮沸，改用小火煮30分钟，即可饮用。
食用	代茶饮，宜温饮。

当归

红枣黄芪百合饮

功效 **健脾益气，养阴润肺**

用途	适用于气阴不足之慢性咳嗽，症见干咳少痰、气短乏力等。
材料	黄芪、百合各30克，红枣5粒。
做法	1.黄芪、百合、红枣洗净；红枣去核。 2.把以上材料放入锅中，加入适量水，用大火煮沸，改用小火煮30分钟，即可饮用。
食用	代茶饮。

功效 补气益肺

| 用途 | 适用于中气不足，肺气虚弱。 |

用途 适用于中气不足，肺气虚弱。

材料 黄芪20克，甘草5克，红枣5粒，蜂蜜2汤匙。

做法
1. 黄芪、甘草、红枣洗净；红枣去核。
2. 把以上材料放入锅中，加入适量水，用大火煮沸，改用小火煮30分钟。
3. 置室温待凉后，加入蜂蜜，拌匀即可。

食用 代茶饮。

甘草

功效 健脾益气，润肠通便

用途 适用于气虚便秘者。

材料 黄芪20克，火麻仁、陈皮各5克，蜂蜜2汤匙。

做法
1. 黄芪、火麻仁、陈皮洗净；火麻仁压碎；陈皮浸软，刮去瓤。
2. 把以上材料放入锅中，加入适量水，用大火煮沸，改用小火煮30分钟，去渣留汁。
3. 置室温待凉后，加入蜂蜜，拌匀即可。

食用 早晚分饮。

火麻仁

功效 ▌ **益气消脂，通腑除积**

用途	适用于高脂血症，动脉硬化，高血压，肥胖。
材料	黄芪、山楂各20克，荷叶10克，甘草5克，生姜2片。
做法	1.黄芪、山楂、荷叶、甘草、生姜洗净。 2.把以上材料放入锅中，加入适量水，用大火煮沸，改用小火煮30分钟，即可饮用。
食用	早晚分饮。

荷叶

功效 ▌ **益气养阴，降压降糖**

用途	适用于低血压，糖尿病。
材料	黄芪、熟地各30克，沙参、山楂各20克，麦冬、五味子各10克。
做法	1.黄芪、熟地、沙参、山楂、麦冬、五味子洗净。 2.把以上材料放入锅中，加入适量水， 3.用大火煮沸，改用小火煮30分钟，即可饮用。
食用	每天1剂，分2次服。

熟地

Tips

古代医学家对黄芪的论述

　　黄芪是十分常用的益寿中药，保健效果毋庸置疑。元代著名医学家刘元素指出，黄芪有五大功效："补诸虚不足，一也；益元气，二也；壮脾胃，三也；去肌热，四也；排脓，止痛，活血生血，内托阴疽，为疮家圣药，五也。"

功效　补气养阴

用途	适用于体虚发热。
材料	黄芪30克，太子参20克，丹参15克，麦冬、枸杞子、五味子、生地、白术各10克。
做法	1. 黄芪、太子参、丹参、麦冬、枸杞子、五味子、生地、白术洗净。 2. 把以上材料放入锅中，加入适量水，用大火煮沸，改用小火煮30分钟，即可饮用。
食用	早晚分饮。

太子参

功效　益气活血，清热燥湿

用途	适用于心律失常，心肌缺血，高血压。
材料	黄芪50克，蒲公英30克，丹参20克，苦参15克，泽兰、甘草各10克。
做法	1. 黄芪、蒲公英、丹参、苦参、泽兰、甘草洗净。 2. 把以上材料放入锅中，加入适量水，用大火煮沸，改用小火煮30分钟，即可饮用。
食用	早晚分饮。

苦参

功效 健脾补肾，益气安神

用途 适用于脾肾不足、心神不宁所致的疲倦乏力、气短气喘、惊悸者。

材料 黄芪30克，灵芝、茯苓各15克，茶叶5克。

做法
1. 黄芪、灵芝、茯苓洗净。
2. 把以上材料放入锅中，加入适量水，用大火煮40分钟，去渣留汁。
3. 加入茶叶，浸泡10分钟，即可饮用。

食用 代茶饮。

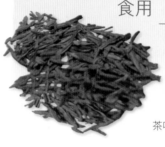

茶叶

功效 健脾补肾，利尿通淋

用途 适用于脾肾虚弱、湿注下焦之泌尿系统感染。

材料 西瓜皮80克，黄芪、白茅根各30克，肉苁蓉20克，冰糖适量。

做法
1. 西瓜皮、黄芪、白茅根、肉苁蓉洗净。
2. 把以上材料放入锅中，加入适量水，用大火煮沸，改用小火煮30分钟，下冰糖调味即可。

食用 代茶饮。

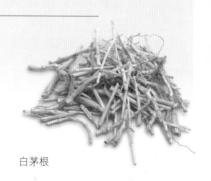

白茅根

功效 ▎益气健脾，降火通脉

用途	适用于高血压，糖尿病，中风后遗症。
材料	黄芪、夏枯草各15克，红花、沙参、党参、麦冬、桃仁、生地、赤芍各10克。
做法	1.黄芪、夏枯草、红花、沙参、党参、麦冬、桃仁、生地、赤芍洗净。 2.把以上材料放入锅中，加入适量水，用大火煮沸，改用小火煮40分钟，即可饮用。
食用	每天1剂，分2次服。

夏枯草

功效 ▎益气滋阴，清肝疏肝

用途	适用于免疫力低下，感冒发热，月经不调，高血脂。
材料	黄芪30克，党参、女贞子、淡竹叶各15克，柴胡、黄芩各10克。
做法	1.黄芪、党参、女贞子、淡竹叶、柴胡、黄芩洗净。 2.把以上材料放入锅中，加入适量水，用大火煮沸，改用小火煮40分钟，即可饮用。
食用	代茶饮。

淡竹叶

黄芪菊花饮

功效 | 清热益肺

用途 适用于气虚外感风热之急性支气管炎。

材料 黄芪10克，金银花、菊花、桔梗、白术、防风各5克，甘草3克。

做法
1. 黄芪、金银花、菊花、桔梗、白术、防风、甘草洗净。
2. 把以上材料放入锅中，加入适量水，用大火煮沸，改用小火煮30分钟，即可饮用。

食用 每天1剂，分4~6次服用，连续服用1星期。

功效 益气清热

用途	适用于气虚型发热。
材料	黄芪15克，金银花5克，蜂蜜2汤匙。
做法	1.黄芪、金银花洗净。 2.把以上材料放入锅中，加入适量水，用大火煮沸，改用小火煮30分钟。 3.置室温待凉后，加入蜂蜜，拌匀即可。
食用	代茶饮。

金银花

功效 利水消肿

用途	适用于脾气虚弱引起的甲状腺功能衰退及面部水肿。
材料	黄芪30克，猪苓、茯苓、车前子各15克，桂枝5克，蜂蜜2汤匙。
做法	1.黄芪、猪苓、茯苓、车前子、桂枝洗净。 2.把以上材料放入锅中，加入适量水，用大火煮沸，改用小火煮1小时，去渣留汁。 3.置室温待凉后，加入蜂蜜，拌匀即可。
食用	早晚分饮。

茯苓

功效 益气温经，和血通痹

用途 适用于气虚血滞所致的月经不调、四肢麻痹、中风后遗症。

材料 黄芪40克，桂枝、当归各15克，羌活5克。

做法
1. 黄芪、桂枝、当归、羌活洗净。
2. 把以上材料放入锅中，加入适量水，用大火煮沸，改用小火煮40分钟，即可饮用。

食用 每天1剂，分2次服。

桂枝

功效 健脾益气，补肾壮骨

用途 适用于脾肾虚弱所致的气短乏力、腰膝酸软者。

材料 黄芪30克，菟丝子、巴戟天各15克。

做法
1. 黄芪、菟丝子、巴戟天洗净；菟丝子放入纱布袋中。
2. 把以上材料放入锅中，加入适量水，用大火煮沸，改用小火煮30分钟，即可饮用。

食用 每天1剂。

菟丝子

功效 补气养阴

用途	适用于阴虚型产后盗汗。
材料	山萸肉20克，黄芪15克，地骨皮3克，红糖适量。
做法	1. 山萸肉、黄芪、地骨皮洗净。 2. 把以上材料放入锅中，加入适量水，用大火煮沸，改用小火煮30分钟，加入红糖，拌匀即可。
食用	每天1剂，连续5天饮用。

山萸肉

功效 养血安神

用途	适用于心脾虚弱引起的心神不宁、气短乏力者。
材料	黄芪、当归、酸枣仁、桂圆肉各20克，党参、远志、白术、木香各10克，甘草5克。
做法	1. 黄芪、当归、酸枣仁、桂圆肉、党参、远志、白术、木香、甘草洗净。 2. 把以上材料放入锅中，加入适量水，用大火煮沸，改用小火煮40分钟，即可饮用。
食用	每天1剂，分2次服。

酸枣仁

功效 益气补血，生津润燥

用途　适合于气血不足之目涩，视物模糊，头晕乏力。

材料　黄芪、枸杞子各15克，桑葚10克。

做法　1. 黄芪、枸杞子、桑葚洗净。
　　　2. 把以上材料放入锅中，加入适量水，用大火
　　　　 煮沸，改用小火煮30分钟，即可饮用。

食用　代茶饮。

枸杞子

功效 益气升阳

用途　适用于内热消渴，麻疹透发不畅，腹泻痢疾。

材料　葛根50克，黄芪30克，党参20克，白芍、生
　　　姜、红枣各10克，桂枝、甘草各5克。

做法　1. 葛根、黄芪、党参、白芍、生姜、红枣、桂
　　　　 枝、甘草洗净；红枣去核。
　　　2. 把以上材料放入锅中，加入适量水，用大火
　　　　 煮沸，改用小火煮40分钟，即可饮用。

食用　每天1剂。

葛根

Tips

黄芪的生长习性

　　黄芪的出苗率低，对生长环境有较高要求。它偏好凉爽的气候、耐旱耐寒，
但非常怕热怕涝，幼苗细弱、忌强光，适宜种于土层深厚、含充足腐殖质、透
水力强的中性或微碱性沙壤土。由于高温会抑制黄芪的生长，故应该于7℃~8℃
播种、于14℃~15℃发芽，才能确保收成及品质。

功效 **补气，润肺，利水**

用途	适用于气虚型产后小便不通。
材料	黄芪15克，麦冬10克，通草5克。
做法	1. 黄芪、麦冬、通草洗净。 2. 把以上材料放入锅中，加入适量水，用大火煮沸，改用小火煮30分钟，即可饮用。
食用	早晚分饮。

麦冬

功效 **补中益气，升阳举陷**

用途	适用于脾胃气虚，内脏下垂，体倦乏力，重症肌无力。
材料	黄芪、党参各20克，当归、白术各10克，柴胡、升麻、炙甘草各5克，陈皮3克。
做法	1. 黄芪、党参、当归、白术、柴胡、升麻、炙甘草、陈皮洗净；陈皮浸软，刮去瓤。 2. 把以上材料放入锅中，加入适量水，用大火煮沸，改用小火煮40分钟，即可饮用。
食用	早晚分饮。

炙甘草

功效 益气养阴

用途 适用于气阴虚弱所致的发热性疾病。

材料 黄芪15克，五味子、连翘、甘草、生地、麦冬、赤芍、丹参各10克，知母5克。

做法
1. 黄芪、五味子、连翘、甘草、生地、麦冬、赤芍、丹参、知母洗净。
2. 把以上材料放入锅中，加入适量水，用大火煮沸，改用小火煮40分钟，即可饮用。

食用 早晚分饮。

连翘

功效 补气升阳，托毒透邪

用途 适用于乳腺增生。

材料 黄芪、升麻各5克，花茶3克。

做法
1. 黄芪、升麻洗净。
2. 把以上材料放入锅中，加入适量水，用大火煮沸，改用小火煮5分钟。
3. 加入花茶，浸泡10分钟，即可饮用。

食用 代茶饮。

升麻

黑豆北芪饮

功效 补肾益阴，益气固表

用途　适用于气阴虚弱所致的气短心悸、乏力、自汗盗汗。

材料　黑豆80克，北芪40克，浮小麦10克，红糖适量。

做法　1.黑豆、北芪、浮小麦洗净。
2.把以上材料放入锅中，加入适量水，用大火煮沸，改用小火煮至黑豆熟透，加入红糖，拌匀食用。

食用　早晚分饮。

黑豆

黄芪当归红枣茶

功效 补气养血，宁心安神

用途　适用于气血虚弱所致的神倦疲乏、月经不调、免疫功能低下、心悸怔忡。

材料　黄芪15克，当归3克，红枣3粒。

做法　1.当归、红枣、黄芪洗净；红枣去核。
2.把以上材料放入锅中，加入适量水，用大火煮沸，改用小火煮10分钟，即可饮用。

食用　代茶饮。

当归

黄芪汽锅鸡

功效 | **益气补血**

用途	适用于气虚、血虚所致的营养不良、子宫脱垂。
材料	鸡1只，黄芪30克，枸杞子5克，生姜5片，葱2条，绍酒½量杯，盐适量。
做法	1. 鸡去内脏，洗净，切块，氽水。 2. 黄芪、枸杞子、生姜洗净；葱洗净，切段。 3. 把鸡放入汽锅中，把其他材料铺在鸡上，加入适量水，用大火隔水蒸2小时，下绍酒和盐调味即成。
食用	佐餐食用。

功效 益气补血

用途 适用于气血虚弱或气虚血淤者。

材料 老鸡1只，黄芪30克，香附、当归各20克，人参5克，盐适量。

做法
1. 老鸡去内脏洗净，氽水。
2. 黄芪、香附、当归、人参洗净。
3. 把黄芪、香附、当归和人参放入鸡腹内，炖盅内加入适量水，下老鸡，用大火煮沸，改用小火隔水炖3小时，下盐调味即成。

食用 佐餐食用。

香附

功效 补益气血，滋补肝肾

用途 适用于气血不足引起的头晕头痛、气短乏力、面色苍白。

材料 老鸡1只，熟地25克，黄芪、首乌各20克，盐适量。

做法
1. 老鸡去内脏洗净，斩块，氽水。
2. 熟地、黄芪、首乌洗净。
3. 把以上材料放入锅中，加入适量水，用大火煮沸，改用小火煮2小时，下盐调味即成。

食用 佐餐食用。

首乌

功效　滋阴养血，健脾理气

用途	适用于阴血虚弱、脾虚气滞所致的体弱及病后补身。
材料	乌鸡1只，浸发鲍鱼4只，淮山、枸杞子、党参、北芪各30克，陈皮5克，桂圆肉5粒，生姜2片。
做法	1. 乌鸡去内脏洗净，汆水；鲍鱼用清水浸泡3小时，取出，用刷子刷去泥污，洗净。 2. 淮山、枸杞子、党参、北芪、陈皮、桂圆肉、生姜洗净；陈皮浸软，刮去瓤。 3. 把以上材料放入炖盅内，加入适量水，用小火隔水炖6小时，即可饮用。
食用	佐餐食用。

鲍鱼

功效　益气养血

用途	适用于气血虚弱所致的畏冷、抵抗力低下、月经不调及男子遗精、早泄。
材料	乌鸡1只，北芪、党参各20克，桂圆肉5克，红枣5粒，生姜2片，盐适量。
做法	1. 乌鸡去内脏，洗净，汆水。 2. 北芪、党参、桂圆肉、生姜洗净；红枣洗净，去核。 3. 把北芪、党参、桂圆肉、红枣和生姜放入锅中，加入适量水，用大火煮沸。 4. 加入乌鸡，改用小火煮3小时，下盐调味，即可饮用。
食用	佐餐食用。

乌鸡

功效　健脾补肾

用途
适用于肾阳亏损的阳痿、早泄、耳鸣、腰痛、腰膝酸软无力。

材料
鹿尾1条，乌鸡1只，北芪、桂圆肉20克，陈皮5克，生姜2片，盐适量。

做法
1. 鹿尾洗净，切片；乌鸡去内脏，洗净，汆水。
2. 北芪、桂圆肉、生姜洗净；陈皮洗净，浸软，刮去瓤。
3. 把以上材料放入锅中，加入适量水，用大火煮沸，改用小火煮3小时，下盐调味即成。

食用
佐餐食用。

桂圆

功效　益气养血，补益肝肾

用途
适用于肝肾气血不足所致的头晕耳鸣、烘热汗出、心悸失眠、神倦乏力。

材料
乌鸡肉200克，制首乌、黄芪各20克，红枣10粒，盐适量。

做法
1. 乌鸡去内脏，洗净，汆水，切小块。
2. 黄芪、制首乌洗净，装入纱布袋，扎好口；红枣洗净，去核。
3. 把以上材料放入沙锅中，加入适量水，用大火煮沸，改用小火煮2小时，捞出纱布袋，下盐调味即成。

食用
佐餐食用。

制首乌

黄芪淮山乌鸡汤

功效 健脾益气，补益肝肾

用途	适用于产后亏虚、乳汁不足、肝肾不足引起的身体虚弱、腰膝酸软、月经不调。
材料	乌鸡½只，淮山30克，黄芪20克，杜仲15克，红枣5粒，生姜3片，绍酒1汤匙，盐适量。
做法	1. 乌鸡去内脏洗净，斩块，汆水。 2. 淮山、黄芪、杜仲、生姜洗净；红枣洗净，去核。 3. 把以上材料放入锅中，加入适量水，用大火煮沸，改用小火煮2小时，下绍酒和盐调味即成。
食用	佐餐食用。

杜仲

黄芪茯苓乌鸡汤

功效 益气补血

用途	适用于气血亏虚之脸色无华、年迈形衰。
材料	乌鸡1只，黄芪、茯苓、当归各10克，盐适量。
做法	1. 乌鸡去内脏，洗净，汆水。 2. 黄芪、茯苓、当归洗净。 3. 把以上材料放入锅中，加入适量水，用大火煮沸，改用小火煮2小时，下盐调味即成。
食用	佐餐食用。

茯苓

功效 健脾益气，消食和胃

用途 适用于脾气虚弱所致的短气乏力、食少腹胀、胃及十二指肠溃疡。

材料 鸡肉250克，猴头菇150克，黄芪30克，生姜2片，绍酒、盐各适量。

做法
1. 鸡肉洗净，汆水；
2. 黄芪、生姜洗净；猴头菇洗净，浸软。
3. 把以上材料放入锅中，加入适量水，用大火煮沸，改用小火煮2小时，下绍酒和盐调味即成。

食用 佐餐食用。

猴头菇

功效 益气补中，通利肠胃

用途 适用于脾气虚弱所致的营养不良、慢性胃炎、大便不畅、病后虚弱。

材料 鸡肉300克，小白菜100克，黄芪30克，生姜2片，鸡汤4量杯，绍酒、盐适量。

做法
1. 鸡肉切块，汆水。
2. 小白菜、黄芪、生姜洗净。
3. 把以上材料放入锅中，加入鸡汤，用大火煮沸，改用小火煮40分钟，下绍酒和盐调味即成。

食用 佐餐食用。

鸡肉

功效 益气养血，活血通络

用途 适用于气血不足、经络不通引起的倦怠乏力、腰膝酸软、四肢冰冷。

材料 鸡脚150克，党参20克，黄芪15克，红枣5粒，生姜2片、盐适量。

做法
1. 鸡脚洗净，去爪尖，氽水。
2. 党参、黄芪、生姜洗净；红枣洗净，去核。
3. 把以上材料放入锅中，加入适量水，用大火煮沸，改用小火煮2小时，下盐调味即成。

食用 佐餐食用。

鸡脚

功效 补益肝肾，益气滋阴

用途 适用于肝肾不足、气阴两虚所致的高胆固醇、动脉硬化。

材料 鸡蛋2只，何首乌60克，黄芪、茯苓各30克，六味地黄少许，盐适量。

做法
1. 何首乌、黄芪、茯苓、六味地黄洗净。
2. 把以上材料放入锅中，加入适量水，用大火煮沸，改用小火煮至鸡蛋熟透。
3. 盛起鸡蛋，去壳后放回汤中，再煮10分钟，下盐调味即成。

食用 饮汤，食鸡蛋。

鸡蛋

功效 健脾益气，祛湿止带

用途 适用于脾虚老年性阴道炎或脾虚泄泻、食欲减退。

材料 鸡蛋1只，黄芪30克，扁豆花15克，盐适量。

做法
1. 黄芪、扁豆花洗净。
2. 鸡蛋煮熟，去壳。
3. 把以上材料放入锅中，加入适量水，用大火煮沸，改用小火煮1小时，下盐调味即成。

食用 佐餐食用。

扁豆花

功效 滋阴益气，理气和中

用途 适用于气阴两虚所致的口干咽燥、气短头重、疲倦乏力、面肿腹胀、体热上火、食少便秘。

材料 老鸭1只，北芪、党参20克，陈皮5克，葱2条，姜1片，盐适量。

做法
1. 老鸭去内脏，洗净，氽水。
2. 北芪、党参、葱、姜洗净；陈皮洗净，浸软，刮去瓤。
3. 把葱和姜放入鸭腔，把老鸭、北芪、党参、陈皮放入炖盅内，加入适量水，用大火煮沸，改用小火隔水炖3小时，下盐调味即成。

食用 佐餐食用。

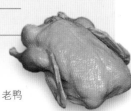

老鸭

51

北芪鸭蛋汤

功效 滋阴益气

用途 适用于气阴两虚所致的虚痨之症。

材料 鸭蛋1只，北芪30克，盐适量。

做法
1. 北芪洗净，加入适量水，用大火煮沸，改用小火煮30分钟，去渣留汁。
2. 鸭蛋打匀，慢慢拌入北芪水中，再煮5分钟，下盐调味即成。

食用 佐餐食用。

功效 补益肝肾，益气养血

用途　适用于肝肾不足、气血虚弱所致的面色苍白、气短乏力、胸闷。

材料　老鸽1只，党参25克，黄芪15克，黑枣8粒，蜜枣3粒、盐适量。

做法
1. 鸽去内脏，洗净，氽水。
2. 党参、黄芪、黑枣、蜜枣洗净。
3. 把以上材料放入锅中，加入适量水，用大火煮沸，改用小火煮2小时，下盐调味即成。

食用　佐餐食用。

鸽

功效 益气养血

用途　适用于气虚血亏之身体虚弱。

材料　老鸽1只，猪瘦肉500克，川芎40克，黄芪、党参各25克，天麻20克，黄精、枸杞子各10克，生姜3片，葱段、盐各适量。

做法
1. 鸽去内脏后和猪瘦肉分别洗净，斩块，分开氽水。
2. 黄芪、党参、天麻、黄精、枸杞子、川芎、生姜、葱洗净。
3. 把以上材料放入炖盅内，加入适量水，用小火隔水炖2小时30分钟，下盐调味即成。

食用　佐餐食用。

黄精

功效 滋阴补气

用途　适用于气阴虚弱所致的痨咳、痰喘、虚弱。

材料　水鸭1只，猪瘦肉200克，冬虫夏草、北芪、香菇各15克，陈皮5克，盐适量。

做法
1. 水鸭去内脏，洗净，切块，氽水；猪瘦肉洗净，氽水。
2. 冬虫夏草、北芪洗净；香菇洗净，浸软，去蒂；陈皮洗净，浸软，刮去瓤。
3. 把以上材料放入炖盅内，加入适量水，用小火隔水炖4小时，下盐调味即成。

食用　佐餐食用。

香菇

功效 补益肺肾

用途　适用于肺肾虚弱所致的易感冒、抵抗力低下、疲倦乏力及气短腰酸者。

材料　乳鸽1只，党参、黄芪各10克，冬虫夏草3克，葱段、姜片、盐各适量。

做法
1. 乳鸽去内脏，洗净，切大块，氽水。
2. 党参、黄芪、冬虫夏草、葱、姜洗净。
3. 把以上材料放入炖盅内，加入适量水，用小火隔水炖3小时，下盐调味即成。

食用　佐餐食用。

冬虫夏草

功效 利水除湿，健脾益胃

用途	适用于脾胃虚弱所致的水肿肥胖、易于疲劳。
材料	鹌鹑2只，猪瘦肉250克，北芪、薏米各20克，生姜2片，盐适量。
做法	1.鹌鹑去内脏，洗净，汆水；瘦肉洗净，切块，汆水。 2.北芪、薏米、生姜洗净。 3.把以上材料放入锅中，加入适量水，用大火煮沸，改用小火煮3小时，下盐调味即成。
食用	佐餐食用。

薏米

功效 补中益气，健肠止泻

用途	适用于溃疡病，慢性肠炎，脾胃气虚，胃下垂，子宫脱垂。
材料	鹌鹑3只，黄芪、白术各15克，生姜3片，盐适量。
做法	1.鹌鹑去内脏，洗净，切块，汆水。 2.黄芪、白术、生姜洗净。 3.把以上材料放入锅中，加入适量水，用大火煮沸，改用小火煮2小时，下盐调味即成。
食用	佐餐食用。

白术

Tips

黄芪植株的形态特征

膜荚黄芪为多年生草本，主根粗大深长、圆柱形、带木质化及常有分枝。它的外皮呈黄色或淡褐色，内部则呈黄白色。茎直立，叶互生且呈羽状，长5~10厘米。花腋生，蝶形，淡黄色。荚果膜质下垂，种子呈黑褐色。花期6~8月，果期8~9月。

功效　补中益气，升阳举陷

用途	适用于体弱气虚，易患感冒，关节痹痛，月经不调。
材料	猪瘦肉300克，黄芪25克，川牛膝、枸杞子各10克，人参、当归各5克，甘草2片，生姜2片，盐适量。
做法	1.猪瘦肉洗净，氽水。 2.黄芪、川牛膝、枸杞子、人参、当归、甘草、生姜洗净。 3.把以上材料放入锅中，加入适量水，用大火煮沸，改用小火煮3小时，下盐调味即成。
食用	佐餐食用。

川牛膝

功效　补益气血，宁心安神

用途	适用于慢性肝炎属脾胃虚弱者。
材料	猪瘦肉300克，灵芝30克，黄芪20克，生姜1片，盐适量。
做法	1.猪瘦肉洗净，切块，氽水。 2.黄芪、生姜洗净；灵芝洗净，用水浸泡30分钟。 3.把以上材料放入锅中，加入适量水，用大火煮沸，改用小火煮3小时，下盐调味即成。
食用	佐餐食用。

灵芝

功效　养气益血，活血通络

用途	适用于肠炎，肠癌，痛经。
材料	猪瘦肉300克，红藤80克，黄芪40克，红枣10粒，盐适量。
做法	1.猪瘦肉洗净，切块，氽水。 2.红藤、黄芪洗净；红枣洗净，去核。 3.把黄芪、红藤放入锅中，加入适量水，用小火煮30分钟，去渣留汁。 4.加入猪瘦肉和红枣，用小火煮2小时，下盐调味即成。
食用	佐餐食用。

猪瘦肉

功效　益气平肝

用途	适用于头痛眩晕，肢体麻木，身体虚弱。
材料	猪瘦肉400克，北芪20克，天麻3克，盐适量。
做法	1.猪瘦肉洗净，切块，氽水。 2.北芪、天麻洗净。 3.把以上材料放入锅中，加入适量水，用大火煮沸，改用小火煮2小时，下盐调味即成。
食用	佐餐食用。

天麻

黄芪的加工

　　黄芪收成后，一般的加工方法为：酒炒、米炒、盐水炒和蜜炙等，而最容易在市面上买到的，就是蜜炙黄芪。这是由于黄芪所含的糖类和氨基酸能益气补虚，经蜜炙后更可增强补益效果并有润燥作用。然而正宗的蜜炙方法，是要将蜜糖熬煮至金黄色，再加入适量水煮至沸腾，才可以加入黄芪拌煮。这样才能令黄芪带有金黄光泽、纹理清晰、手感清爽。如果炙煮过程处理不当，黄芪久放后便会黏在一起，药用效果也会大大削弱。

北芪扁豆瘦肉汤

功效 补益气血，养阴润燥

用途　适用于体虚乏力，表虚自汗，抵抗力低下。

材料　猪瘦肉300克，扁豆、淮山、芡实各30克，北芪20克，盐适量。

做法
1. 猪瘦肉洗净，切块，汆水。
2. 扁豆、淮山、芡实、北芪洗净。
3. 把以上材料放入锅中，加入适量水，用大火煮沸，改用小火煮3小时，下盐调味即成。

食用　佐餐食用。

芡实

虫草北芪瘦肉汤

功效 补肺益肾，化痰平喘

用途　适用于呼吸系统免疫力低下。

材料　猪瘦肉250克，淮山20克，北芪、桂圆肉各15克，冬虫夏草10克，盐适量。

做法
1. 猪瘦肉洗净，切块，汆水。
2. 淮山、北芪、桂圆肉、冬虫夏草洗净。
3. 把以上材料放入锅中，加入适量水，用大火煮沸，改用小火煮3小时，下盐调味即成。

食用　佐餐食用。

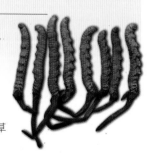

冬虫夏草

功效　益气养阴，升清降浊

用途	适用于气阴不足所致的眩晕呕吐、耳鸣耳聋、心悸乏力、失眠健忘、食少乏味。
材料	猪瘦肉200克，丝瓜200克，黄芪30克，花旗参5片，盐适量。
做法	1. 猪瘦肉洗净，切块，汆水。 2. 黄芪、花旗参洗净；丝瓜洗净，去皮，切片。 3. 把以上材料放入锅中，加入适量水，用大火煮沸，改用小火煮30分钟，下盐调味即成。
食用	佐餐食用。

丝瓜

功效　调补肺脾，益气养血

用途	适用于气虚型心悸气短、食少便溏、浮肿头晕等。
材料	猪瘦肉200克，淮山30克，黄芪20克，枸杞子、党参各15克，红枣10粒，盐适量。
做法	1. 猪瘦肉洗净，切块，汆水。 2. 淮山、黄芪、枸杞子、党参洗净；红枣洗净，去核。 3. 把以上材料放入锅中，加入适量水，用大火煮沸，改用小火煮2小时，下盐调味即成。
食用	佐餐食用。

淮山

北芪雪耳苹果汤

| 功效 | **益气养阴** |

用途　适用于气阴虚弱所致的内热。

材料　猪瘦肉200克，苹果1个，北芪40克，灵芝、雪耳各10克，蜜枣3粒。

做法
1. 猪瘦肉洗净，切块，氽水。
2. 北芪、灵芝、蜜枣洗净；苹果洗净，去皮去芯；雪耳洗净，浸软。
3. 把以上材料放入锅中，加入适量水，用大火煮沸，改用小火煮2小时即可。

食用　佐餐食用。

功效　补肺益气

用途　适用于肺脾气虚之鼻敏感。

材料　猪肺½个，北芪、党参各20克，蜜枣3粒，盐适量。

做法
1. 猪肺套在水龙头反复灌水冲洗干净，切块，汆水。
2. 北芪、党参、蜜枣洗净。
3. 把以上材料放入沙锅中，加入适量水，用大火煮沸，改用小火煮至猪肺熟透，下盐调味即成。

食用　佐餐食用。

蜜枣

功效　益气健脾，温中散寒

用途　适用于脾胃虚弱之食少便溏、胃脘疼痛，胃下垂，慢性胃炎。

材料　猪肚1个，黄芪20克，砂仁6克，盐适量。

做法
1. 猪肚用粗盐反复刷洗净，去除肚内白膜，汆水。
2. 黄芪、砂仁洗净，装入猪肚内。
3. 把猪肚放入炖盅内，加入适量水，用小火隔水炖2小时，下盐调味即成。

食用　佐餐食用。

砂仁

功效 健脾开胃，滋阴补肾

用途 适用于慢性支气管炎，哮喘咳嗽，妇科疾病。

材料 猪肚1个，腐皮2片，北芪50克，芡实30克，陈皮5克，银杏10粒，蜜枣3粒，盐适量。

做法
1. 猪肚用粗盐反复洗净，去除肚内白膜，汆水，切块。
2. 腐皮、北芪、芡实、蜜枣洗净；银杏洗净，去壳去芯；陈皮洗净，浸软，刮去瓤。
3. 煮沸适量水，加入猪肚、北芪、芡实、陈皮、银杏和蜜枣，用大火煮沸，改用小火煮1小时。
4. 加入腐竹，再煮1小时，下盐调味即成。

食用 佐餐食用。

腐皮

功效 益气养血

用途 适用于产后气血虚弱者。

材料 猪肝500克，黄芪60克，绍酒、姜汁、糖、胡椒粉、生粉及盐各适量。

做法
1. 猪肝洗净，切片，用绍酒、姜汁、糖、胡椒粉和生粉腌15分钟。
2. 黄芪洗净。
3. 把以上材料放入锅中，加入适量水，用大火煮沸，改用小火煮30分钟，下绍酒和盐调味即成。

食用 佐餐食用。

猪肝

功效　补肝明目，健脾祛湿

用途　适用于肝脾两虚所致的目涩，视物模糊，气短身重，疲倦乏力。

材料　猪肝300克，淮山80克，黄芪、薏米各30克，绍酒、姜汁、糖、胡椒粉、生粉及盐各适量。

做法
1. 猪肝洗净，切片，用绍酒、姜汁、糖、胡椒粉和生粉腌15分钟。
2. 淮山、黄芪、薏米洗净。
3. 把以上材料放入锅中，加入适量水，用大火煮沸，改用小火煮2小时，下盐调味即成。

食用　佐餐食用。

薏米

功效　补气健脾

用途　适用于消化道疾病及肿瘤患者。

材料　猪腱150克，猴头菇50克，北芪25克，盐适量。

做法
1. 猪腱洗净，汆水。
2. 北芪洗净；猴头菇洗净，浸软。
3. 把以上材料放入锅中，加入适量水，用大火煮沸，改用小火煮1小时，下盐调味即成。

食用　佐餐食用。

猪腱

功效 益气润燥

用途	适用于中气不足、气化不津而致之气津两虚的消渴病。
材料	猪横脷（猪胰脏）1条，北芪、薏米、淮山各50克，盐适量。
做法	1.猪横脷洗净，汆水，切块，刮去白膜。 2.北芪、薏米、淮山洗净。 3.把以上材料放入锅中，加入适量水，用大火煮沸，改用小火煮2小时，下盐调味即成。
食用	佐餐食用。

猪横脷

功效 补血润燥，益气活血

用途	适用于身体虚弱及产后阴血不足之乳汁缺少，癌肿化疗、放疗后白细胞减少。
材料	干猪脚筋120克，花生、鸡血藤、红枣各30克，北芪20克，盐适量。
做法	1.猪脚筋洗净，浸软，汆水。 2.花生、鸡血藤、北芪洗净；红枣洗净，去核。 3.把以上材料放入锅中，加入适量水，用大火煮沸，改用小火煮至花生熟透，下盐调味即成。
食用	佐餐食用。

鸡血藤

功效 补气益血，养胃通乳

用途 适用于气血虚弱所致的产后乳汁不下、面色苍白、头晕耳鸣、四肢乏力、心悸气短、食欲不振。

材料 猪脚1只，黄芪30克，高丽参10克，陈皮5克，生姜3片，油、盐适量。

做法
1. 猪脚洗净，斩块，汆水。
2. 黄芪、高丽参洗净；陈皮洗净，浸软，刮去瓤；生姜洗净，拍扁。
3. 烧热油锅，爆香姜片，把猪脚略煎。
4. 把以上材料放入锅中，加入适量水，用大火煮沸，改用小火煮至猪脚熟透，下盐调味即成。

食用 佐餐食用。

猪脚

功效 养血润燥，强筋壮骨

用途 适用于肾虚血少的肢体疲软。

材料 猪尾骨400克，芡实50克，黄芪、莲子各20克，淮山10克，陈皮5克，红枣10粒，盐适量。

做法
1. 猪尾骨洗净，汆水。
2. 芡实、黄芪、莲子、淮山洗净；陈皮洗净，浸软，刮去瓤；红枣洗净，去核。
3. 把以上材料放入锅中，加入适量水，用大火煮沸，改用小火煮2小时，下盐调味即成。

食用 佐餐食用。

芡实

功效 益气养血

用途 适用于气血虚弱者。

材料 排骨500克，黄豆50克，黄芪20克，红枣10粒，生姜2片，盐适量。

做法
1. 排骨洗净，斩块，汆水。
2. 黄豆、黄芪、生姜洗净；红枣洗净，去核。
3. 把以上材料放入锅中，加入适量水，用大火煮沸，改用小火煮2小时，下盐调味即成。

食用 佐餐食用。

黄豆

功效 清热祛湿，生津止渴

用途 适用于汗水过多，敏感引起之鼻炎。

材料 排骨400克，粉葛300克，黄芪、白芷各15克，蜜枣3粒，盐适量。

做法
1. 排骨洗净，斩块，汆水。
2. 黄芪、白芷、蜜枣洗净；粉葛去皮，洗净，切块。
3. 把黄芪、白芷放入锅中，加入适量水，用大火煮沸。
4. 加入排骨、粉葛和蜜枣，用大火煮沸，改用小火煮2小时，下盐调味即成。

食用 佐餐食用。

粉葛

功效 | 补益五脏

用途 适用于畏寒，阴虚阳虚，骨骼疾病。

材料 排骨300克，黄芪30克，五味子3克，盐适量。

做法
1. 排骨洗净，斩块，氽水。
2. 黄芪、五味子洗净。
3. 把以上材料放入锅中，加入适量水，用大火煮沸，改用小火煮2小时，下盐调味即成。

食用 佐餐食用。

五味子

功效 | 健脾益气，祛湿

用途 适用于脾虚湿困所致的体质瘦弱、免疫力低下。

材料 排骨600克，茯苓80克，黄芪40克，红枣3粒，盐适量。

做法
1. 排骨洗净，斩块，氽水。
2. 茯苓、黄芪洗净；红枣洗净，去核。
3. 把以上材料放入锅中，加入适量水，用大火煮沸，改用小火煮2小时，下盐调味即成。

食用 佐餐食用。

Tips

黄芪作为药品的使用

　　根据统计，黄芪排行于常用药材的第十一位，不仅可单用，也因其益气补虚的功效，常与补益及祛邪药材同用，以扶正祛邪。著名的方剂有：防己黄芪汤、补阳还五汤、玉屏风散等。另外，它与当归配伍成当归补血汤，有益气生血的功效，可用于崩漏失血和血虚气弱的病人身上；它和麻黄根、浮小麦、牡蛎配伍，又可成牡蛎散等，用于虚人感冒、汗出恶风等症，有明显的疗效；又如以黄芪配当归、川芎、甲珠同用成透脓散，可治伤口成脓、溃不收口。

功效 补中益气

用途	适用于中气不足所致的倦怠乏力、精神不振。
材料	排骨300克，北芪50克，党参30克，红枣3粒，盐适量。
做法	1. 排骨洗净，斩块，汆水。 2. 北芪、党参洗净；红枣洗净，去核。 3. 把以上材料放入锅中，加入适量水，用大火煮沸，改用小火煮3小时，下盐调味即成。
食用	佐餐食用。

排骨

功效 健脾益气，祛湿化痰

用途	适用于气虚型肥胖，足痿。
材料	猪骨300克，黄芪15克，白术、防己各12克，盐适量。
做法	1. 猪骨洗净，斩块，汆水。 2. 黄芪、白术、防己洗净。 3. 把以上材料放入锅中，加入适量水，用大火煮沸，改用小火煮2小时，下盐调味即成。
食用	佐餐食用。

防己

功效 益气养血，健脾补虚

用途	适用于气血两亏所致的神经衰弱、自汗盗汗。
材料	牛肉250克，黑豆80克，黄芪、红枣各30克，盐适量。
做法	1. 牛肉洗净，切片，汆水。 2. 黑豆、黄芪洗净；红枣洗净，去核。 3. 把以上材料放入锅中，加入适量水，用大火煮沸，改用小火煮至黑豆熟透，下盐调味即成。
食用	佐餐食用。

牛肉

功效 补血养阳

用途	适用于气血不足之体寒。
材料	牛腱200克，北芪、淮山各30克，党参、枸杞子各20克，红枣5粒，生姜2片，盐适量。
做法	1. 牛腱洗净，汆水。 2. 北芪、淮山、党参、枸杞子、生姜洗净；红枣洗净，去核。 3. 把北芪、淮山、党参、枸杞子和红枣放入锅中，加入适量水，用大火煮沸。 4. 加入牛腱和生姜，用大火煮沸，改用小火煮2小时，下盐调味即成。
食用	佐餐食用。

牛腱

69

功效 调肾养阳，益气补血

用途　适用于中气下隐，气短体虚，筋骨酸软，贫血久病，面黄目眩。

材料　牛腩、莲藕各300克，黄芪20克，陈皮5克，生姜2片，盐适量。

做法
1. 牛腩洗净，切块，汆水。
2. 黄芪、生姜洗净；莲藕洗净，去皮，切块。
3. 陈皮洗净，浸软，刮去瓤。
4. 把以上材料放入锅中，加入适量水，用大火煮沸，改用小火煮2小时，下盐调味即成。

食用　佐餐食用。

莲藕

功效 益气补血，强健筋骨

用途　适用于免疫力及抵抗力低下。

材料　牛骨600克，西红柿、马铃薯各1个，豆腐1块，枸杞子20克，黄芪10克，盐适量。

做法
1. 牛骨洗净，斩块，汆水。
2. 枸杞子、黄芪洗净；西红柿、豆腐洗净，切块；马铃薯洗净，去皮，切块。
3. 把以上材料放入锅中，加入适量水，用大火煮沸，改用小火煮3小时，下盐调味即成。

食用　佐餐食用。

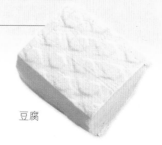

豆腐

功效　温中补血，祛寒止痛

用途　适用于妊娠腹痛虚寒，老年元气不足。

材料　羊肉150克，北芪30克，桂枝15克，甘草3克，红枣10粒，生姜5片，盐适量。

做法
1. 羊肉洗净，汆水。
2. 北芪、桂枝、甘草、生姜洗净；红枣洗净，去核。
3. 把以上材料放入锅中，加入适量水，用大火煮沸，改用小火煮2小时，下盐调味即成。

食用　佐餐食用。

羊肉

功效　补中益气，升阳举陷

用途　适用于中气下陷，脱肛，子宫脱垂，胃下垂，脾胃虚寒。

材料　带鱼500克，黄芪30克，炒枳壳10克，生姜2片，绍酒、油、盐各适量。

做法
1. 带鱼刮去外表银膜，洗净，切段。
2. 黄芪、炒枳壳、生姜洗净。
3. 烧热油锅，爆香姜片，把带鱼煎至两面呈金黄色。
4. 把以上材料放入锅中，加入适量水，用大火煮沸，改用小火煮2小时，下绍酒和盐调味即成。

食用　佐餐食用。

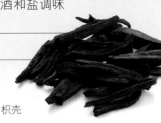

枳壳

木瓜北芪带鱼汤

用途 适用于气血不足者。

材料 带鱼、生木瓜各300克，北芪20克，生姜2片，油、盐适量。

做法
1. 带鱼刮去外表银膜，洗净，切段。
2. 北芪、生姜洗净；木瓜洗净，去皮去籽，切块。
3. 烧热油锅，爆香姜片，把带鱼煎至两面呈金黄色。
4. 把北芪放入锅中，加入适量水，用大火煮沸，改用小火煮30分钟，去渣留汁。
5. 加入带鱼和木瓜，用小火煮2小时，下盐调味即成。

食用 佐餐食用。

功效 健脾益肾，利尿消肿

用途 适用于脾肾气虚引起的倦怠乏力、腰酸背痛、汗水过多。

材料 鲤鱼1条，红豆、黄芪各30克，生姜3片，油、盐适量。

做法
1. 鲤鱼去内脏洗净。
2. 红豆、黄芪、生姜洗净。
3. 烧热油锅，爆香姜片，把鲤鱼煎至两面呈金黄色。
4. 把以上材料放入锅中，加入适量水，用大火煮沸，改用小火煮2小时，下盐调味即成。

食用 佐餐食用。

红豆

功效 益气健脾，利尿消肿

用途 适用于慢性肾炎水肿，肝硬化腹水，营养不良，脾胃虚弱。

材料 鲫鱼1条，黄芪、白术各10克，防风5克，生姜2片，芹菜少许，油、盐适量。

做法
1. 鲫鱼去内脏，洗净。
2. 黄芪、白术、防风、生姜洗净；芹菜洗净，切粒。
3. 烧热油锅，爆香姜片，把鲫鱼煎至两面呈金黄色。
4. 把煎过的鲫鱼及黄芪、白术、防风放入锅中，加入适量水，用大火煮沸，改用小火煮2小时，下盐调味，在表面洒上芹菜粒。

食用 佐餐食用。

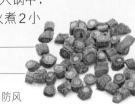

防风

功效 健脾益气，利湿消脂

用途 适用于脾虚气弱型肥胖者。

材料 鲫鱼1条，黄芪、香菇各30克，生姜2片，油、盐适量。

做法
1. 鲫鱼去内脏洗净。
2. 黄芪、香菇、生姜洗净。
3. 烧热油锅，爆香姜片，把鲫鱼煎至两面呈金黄色。
4. 把煎过的鲫鱼及黄芪、香菇放入锅中，加入适量水，用大火煮沸，改用小火煮2小时，下盐调味即成。

食用 佐餐食用。

香菇

功效 健脾养心，滋补气血

用途 适用于气血不足，年老体虚。

材料 生鱼1条，猪瘦肉200克，北芪20克，高丽参15克，红枣20粒，生姜2片，油、盐适量。

做法
1. 猪瘦肉洗净，汆水；生鱼去内脏洗净。
2. 北芪、高丽参、生姜洗净；红枣洗净，去核。
3. 烧热油锅，爆香姜片，把生鱼煎至两面呈金黄色。
4. 把以上材料放入锅中，加入适量水，用大火煮沸，改用小火煮4小时，下盐调味即成。

食用 佐餐食用。

高丽参

功效 益气养血，补虚生肌

用途　适用于手术后体虚汗多、伤口愈合缓慢者。

材料　生鱼1条，黄芪20克，蜜枣3粒，生姜2片，油、盐适量。

做法
1. 生鱼去内脏洗净。
2. 黄芪、蜜枣、生姜洗净。
3. 烧热油锅，爆香姜片，把生鱼煎至两面呈金黄色。
4. 把煎过的生鱼及黄芪、蜜枣放入锅中，加入适量水，用大火煮沸，改用小火煮2小时，下盐调味即成。

食用　佐餐食用。

生鱼

功效 益气养血

用途　适用于脾胃虚弱所致的营养不良或上呼吸道感染后倦怠乏力、气短多汗。

材料　泥鳅200克，猪瘦肉100克，太子参20克，黄芪15克，蜜枣3粒，生姜2片，油、盐适量。

做法
1. 泥鳅汆水，洗净表面黏液；猪瘦肉洗净，汆水。
2. 太子参、黄芪、蜜枣、生姜洗净。
3. 烧热油锅，爆香姜片，把泥鳅煎至两面呈金黄色。
4. 把煎过的泥鳅及猪瘦肉、太子参、黄芪、蜜枣放入锅中，加入适量水，用大火煮沸，改用小火煮2小时，下盐调味即成。

食用　佐餐食用。

泥鳅

功效 养肝健脾，明目养血

用途 适用于久病体虚。

材料 白鳝1条，北芪、党参各40克，金华火腿30克，陈皮、枸杞子各5克，葱2条，生姜5片，绍酒2汤匙，盐适量。

做法
1. 白鳝洗去鱼表面黏液，去头尾，切段，用葱段和姜片汆水；金华火腿洗净，切片。
2. 北芪、党参、枸杞子、生姜洗净；陈皮洗净，浸软，刮去瓤；葱洗净，切段。
3. 把以上材料放入炖盅内，用大火隔水炖30分钟，改用小火炖2小时，下绍酒和盐调味即成。

食用 佐餐食用。

白鳝

功效 补气养血

用途 适用于虚羸瘦弱，产妇坐月子时气血不足。

材料 黄鳝1条，南枣80克，北芪30克，淮山20克，生姜3片，盐适量。

做法
1. 黄鳝去内脏洗净，汆水，刮去白膜，洗净。
2. 南枣、北芪、淮山、生姜洗净。
3. 把南枣、北芪、淮山、生姜放入锅中，加入适量水，用大火煮20分钟，改用小火煮2小时。
4. 加入黄鳝，用大火煮沸，改用小火煮30分钟，下盐调味即成。

食用 佐餐食用。

黄鳝

功效 补肾益阳，强精壮骨

用途　适用于体弱虚损，营养不良，乳汁不足，阳事不举。

材料　塘虱1条，黄芪、肉苁蓉、巴戟天、川椒各20克，丁香5克，油、生姜汁、绍酒、盐各适量。

做法
1. 塘虱去内脏洗净。
2. 黄芪、肉苁蓉、巴戟天、川椒、丁香洗净。
3. 烧热油锅，爆香姜片，把塘虱煎至两面呈金黄色。
4. 把黄芪、肉苁蓉、巴戟天、川椒和丁香放入锅中，加入适量水，用大火煮沸，改用小火煮1小时，去渣留汁。
5. 加入塘虱、生姜汁和绍酒，用小火煮1小时，下盐调味即成。

食用　佐餐食用。

肉苁蓉

功效 调补气血

用途　适用于气血虚弱所致乳房干瘪。

材料　虾仁100克，黄芪、淮山各30克，当归、枸杞子各15克，盐适量。

做法
1. 虾仁洗净。
2. 黄芪、当归、枸杞子、淮山洗净。
3. 把黄芪、淮山、当归、枸杞子放入锅中，加入适量水，用小火煮15分钟，去渣留汁。
4. 加入虾仁，煮15分钟，下盐调味即成。

食用　佐餐食用。

虾仁

Tips

黄芪的药用部位、性味归经及功效

黄芪的主要药用部位是根部，味甘，性微温；归脾、肺经，有补气固表、托毒生肌、利水消肿等功效。除了最常见的片状或整条状黄芪外，还被提炼制成黄芪注射液、口服液、糖浆、冲剂、胶囊等，方便使用。另外，黄芪的茎和叶可以用作饲料，加强禽畜的抗病能力。

功效 益气补血，通络止痛

用途	适用于胃及十二指肠溃疡。
材料	墨鱼250克，黄芪、田七各15克，生姜2片，盐适量。

做法

1. 墨鱼去骨和墨囊，洗净。
2. 黄芪、生姜洗净；田七洗净，压碎。
3. 把黄芪、田七放入锅中，加入适量水，用大火煮沸。
4. 加入墨鱼和姜片，用大火煮沸，改用小火煮2小时，下盐调味即成。

食用	佐餐食用。

墨鱼

功效 滋阴补气

用途	适用于病后气阴虚弱所致的身体虚弱。
材料	响螺1只，猪瘦肉200克，北芪、党参、红枣各25克，陈皮5克，生姜3片，盐适量。

做法

1. 响螺洗净，去壳去肠，切片，氽水；猪瘦肉洗净，氽水。
2. 北芪、党参、生姜洗净；红枣洗净，去核；陈皮洗净，浸软，刮去瓤。
3. 把以上材料放入炖盅内，加入适量水，用大火煮沸，改用小火隔水炖4小时，下盐调味即成。

食用	佐餐食用。

功效　益气养血，滋阴补元

用途	适用于精力不足，易疲倦，气血两亏，肝硬化腹水，神经衰弱。
材料	田鸡2只，眉豆30克，浮小麦、何首乌各15克，北芪10克，红枣6粒，盐适量。
做法	1.田鸡洗净，去皮及头，斩块，汆水。 2.眉豆、浮小麦、何首乌、北芪洗净；红枣洗净，去核。 3.把以上材料放入炖盅内，加入适量水，用大火煮沸，改用小火隔水炖3小时，下盐调味即成。
食用	每天1次，连续10天食用。

田鸡

功效　补气活血

用途	适用于气虚血淤所致的胃及十二指肠溃疡的出血。
材料	田鸡、猪瘦肉各150克，黄芪、田七各20克，蜜枣3粒，盐适量。
做法	1.田鸡洗净，去皮及头，斩块，汆水；猪瘦肉洗净，汆水。 2.黄芪、蜜枣洗净；田七洗净，压碎。 3.把黄芪、田七放入锅中，加入适量水，用大火煮沸。 4.加入田鸡、猪瘦肉和蜜枣，再用大火煮沸后，改用小火煮2小时，下盐调味即成。
食用	佐餐食用。

田七

黄芪金银菜鸡肉粥

功效 | **通利肠胃，补中益气**

用途 适用于中气虚弱所致的疲倦瘦弱、月经不调、消渴、大便不畅等。

材料 鸡肉200克，粳米150克，小白菜100克，黄芪20克，菜干1束，盐适量。

做法
1. 鸡肉洗净，氽水，撕成丝。
2. 粳米淘洗净；小白菜、黄芪洗净，小白菜切段；菜干洗净，浸软，切段。
3. 黄芪放入锅中，加水用大火煮15分钟，去渣留汁。
4. 加入粳米、鸡肉、小白菜和菜干，用小火煮成粥，下盐调味即成。

食用 早晚分食。

功效 益气养血

用途 适用于气血两虚之低血压。

材料 粳米100克，黄芪、当归各10克，川芎、红花各3克，鸡汤4量杯，盐适量。

做法
1. 粳米淘洗净；黄芪、当归、川芎、红花洗净。
2. 把黄芪、当归、红花和川芎放入锅中，加入鸡汤，用大火煮15分钟，去渣留汁。
3. 加入粳米，用小火煮成粥，下盐调味即成。

食用 早晚分食。

川芎

功效 益气固表，理气和胃

用途 适用于体质虚弱，易患感冒，气短乏力，胃口欠佳。

材料 猪瘦肉200克，粳米100克，黄芪、党参各20克，陈皮5克，生粉、盐适量。

做法
1. 猪瘦肉洗净，切丝，用少许生粉及盐腌15分钟。
2. 粳米淘洗净；黄芪、党参洗净；陈皮洗净，浸软，去瓤。
3. 黄芪、党参入锅，加入适量水，用大火煮20分钟，去渣留汁。
4. 加入粳米、猪瘦肉和陈皮，用小火煮成粥，下盐调味即成。

食用 早晚分食。

粳米

功效 益气养血，通乳

用途 适用于产后气虚血少、乳汁分泌不足。

材料 粳米100克，猪肝80克，黑木耳30克，黄芪20克，姜汁、酒、糖、胡椒粉、生粉、葱粒、盐适量。

做法
1. 猪肝洗净，切片，用少许姜汁、酒、糖、胡椒粉、生粉及盐腌10分钟。
2. 粳米淘洗净；黄芪洗净；黑木耳洗净，浸软，切丝。
3. 粳米放入锅中，加入适量水，用大火煮沸后，改用小火煮30分钟。
4. 加入猪肝、黑木耳和黄芪，用小火煮成粥，下盐调味，洒上葱粒即成。

食用 早晚分食。

黑木耳

功效 益气补血，健脾养胃

用途 适用于气血亏损之体弱怕冷、产后自汗、疲倦乏力、胃口欠佳。

材料 粳米、牛肉各100克，黄芪、浮小麦各30克，淮山15克，红枣10粒，生抽、糖、盐适量。

做法
1. 牛肉洗净，切片，加入少许生抽、糖、盐拌匀腌10分钟。
2. 粳米淘洗净；黄芪、浮小麦、淮山洗净；红枣洗净，去核。
3. 把黄芪、浮小麦、淮山和红枣放入锅中，加入适量水，用大火煮30分钟，去渣留汁。
4. 加入粳米，用小火煮成粥，加入牛肉，煮至牛肉熟透，下盐调味，即可食用。

食用 早、晚餐食用。

牛肉

功效 益气养血，补肾助阳

用途 适用于阳虚畏冷，腰膝酸软，痛经。

材料 羊肉200克，糯米100克，黄芪15克，红枣10粒，陈皮丝、姜丝各1茶匙，盐、胡椒粉适量。

做法
1. 糯米淘洗净；羊肉、黄芪洗净；红枣洗净，去核。
2. 羊肉加入陈皮丝、姜丝，拌匀，用中火蒸熟，切丝待用。
3. 黄芪、红枣放入锅中，加入适量水，用大火煮沸，改用小火煮20分钟，去渣留汁。
4. 加入糯米，用小火煮成粥，加入羊肉丝、盐和胡椒粉，拌匀即成。

食用 早、午、晚餐食用。

糯米

功效 益气健胃

用途 适用于脾气虚弱所致的便溏腹泻、气短乏力、胃下垂、脱肛等。

材料 粳米120克，炙黄芪40克，人参5克，盐适量。

做法
1. 粳米淘洗净；黄芪、人参洗净。
2. 黄芪和人参放入锅中，加入适量水，用大火煮沸，改用小火煮45分钟，去渣留汁。
3. 加入粳米，用小火煮成粥，下盐调味即成。

食用 早晚分食。

人参

功效　益气补血

用途	适用于气血两虚之抵抗力低下，胸闷气短，疲倦乏力。
材料	粳米80克，黄芪30克，人参、丹参、枸杞子各15克，盐适量。
做法	1. 粳米淘洗净；黄芪、人参、丹参、枸杞子洗净。 2. 黄芪、人参、丹参和枸杞子放入锅中，加入适量水，用大火煮沸，改用小火煮50分钟，去渣留汁。 3. 加入粳米，用小火煮成粥，下盐调味即成。
食用	早晚分食。

丹参

功效　补气活血

用途	适用于气血两虚所致的头晕心悸、失眠多梦、月经不调、经闭痛经。
材料	糯米100克，黄芪、当归、白芍各15克，泽兰10克，红糖5克。
做法	1. 糯米淘洗净；黄芪、当归、白芍、泽兰洗净。 2. 黄芪、当归、白芍和泽兰放入锅中，加入适量水，用大火煮15分钟，去渣留汁。 3. 加入糯米，用小火煮成粥，加入红糖，拌匀食用。
食用	经前7天早晚各吃1碗。

白芍

Tips

黄芪的美容神话

由于黄芪有托毒生肌的功效，无论内服外用都能增进细胞活力、延缓衰老、消炎杀菌，是美容护肤的重要药材。相传清宫太医曾为慈禧太后研制黄芪花生粥，适量食用，不仅能令五脏运行顺畅，更有显著的丰胸效果。

功效 补中益气，利水消肿

用途 适用于气虚湿滞所致的慢性肾炎、肾盂肾炎残存浮肿。

材料 糯米80克，黄芪12克，生薏米、红豆各10克，鸡内金粉7克。

做法
1. 糯米淘洗净；黄芪、生薏米、红豆洗净。
2. 黄芪放入锅中，加入适量水，用大火煮沸，改用小火煮30分钟，去渣留汁。
3. 加入糯米、薏米和红豆，用小火煮成粥，加入鸡内金粉，拌匀食用。

食用 早晚分食。

鸡内金

功效 补气养血

用途 适用于手术后气血两虚所致的头晕眼花、疲倦乏力、面色无华。

材料 粳米100克，黄芪30克，阿胶20克，盐适量。

做法
1. 粳米淘洗净；黄芪、阿胶洗净。
2. 黄芪、阿胶放入锅中，加入适量水，用大火煮15分钟，去渣留汁。
3. 加入粳米，用小火煮成粥，下盐调味即成。

食用 早晚分食。

阿胶

黄芪桂圆红枣粥

功效 **健脾养心，补血安神**

用途　适用于心脾两虚之心悸乏力、失眠健忘、口干咽燥。

材料　粳米100克，黄芪、桂圆肉各30克，红枣5粒。

做法
1. 粳米淘洗净；黄芪、桂圆肉洗净；红枣洗净，去核。
2. 黄芪放入锅中，加入适量水，用大火煮15分钟后，改用小火煮30分钟，去渣留汁。
3. 加入粳米、桂圆肉和红枣，用小火煮成粥，即可食用。

食用　早晚分食。

功效 补气摄血

用途 适用于气虚所致的体质虚弱、乏力、贫血、月经不调。

材料 糯米150克，花生、红枣各50克，黄芪20克，红糖5克。

做法
1. 糯米淘洗净；花生、黄芪洗净；红枣洗净，去核。
2. 把以上材料放入锅中，加入适量水，用小火煮成粥，加入红糖，拌匀食用。

食用 经前7天早晚各吃1碗。

花生

功效 补中益气、润肠通便

用途 适用于中气虚弱引起的便秘，主要表现为：大便不硬、排便无力。

材料 粳米80克，黄芪30克，松子仁20克，盐适量。

做法
1. 粳米淘洗净；黄芪、松子仁洗净。
2. 黄芪放入锅中，加入适量水，用大火煮沸，改用小火煮40分钟，去渣留汁。
3. 加入粳米和松子仁，用小火煮成粥，下盐调味即成。

食用 早晚分食。

松子仁

功效　理气健中

用途　适用于气虚气滞所致的气短乏力、积食胃胀、胃口欠佳。

材料　粳米100克，黄芪30克，橙皮丝1汤匙，红糖适量。

做法
1. 粳米淘洗净；黄芪、橙皮丝洗净。
2. 黄芪放入锅中，加入适量水，用大火煮沸后，改用小火煮30分钟，去渣留汁。
3. 加入粳米，用小火煮成粥，加入橙皮丝和红糖，拌匀即成。

食用　早晚分食。

黄芪

功效　益气养血，温经通络

用途　适用于气虚血淤所致的肢体麻木、半身不遂等中风后遗症。

材料　粳米80克，黄芪30克，淮山20克，桂枝、丹参各15克，盐适量。

做法
1. 粳米淘洗净；黄芪、淮山、桂枝、丹参洗净。
2. 黄芪、淮山、桂枝和丹参放入锅中，加入适量水，用大火煮沸，改用小火煮50分钟，去渣留汁。
3. 加入粳米，用小火煮成粥，下盐调味即成。

食用　早晚分食。

淮山

功效 滋阴益气，补益脾肾

用途 适用于脾肾阴亏之口渴，或肺胃阴虚内热之咽干渴饮，或糖尿病渴而多饮者。

材料 粳米100克，淮山50克，黄芪30克，生地15克，盐适量。

做法
1. 粳米淘洗净；淮山、黄芪、生地洗净。
2. 淮山、黄芪和生地放入锅中，加入适量水，用大火煮沸后，改用小火煮40分钟，去渣留汁。
3. 加入粳米，用小火煮成粥，下盐调味即成。

食用 早晚分食。

生地

功效 益气补血，健脾宁心

用途 适用于气血虚弱所致的自汗、心虚惊悸，失眠烦渴。

材料 小麦100克，黄芪30克，首乌藤20克，当归、刺五加、桑叶各10克，田七5克，红枣10粒，冰糖适量。

做法
1. 小麦淘洗净；黄芪、首乌藤、当归、刺五加、桑叶、田七洗净；红枣洗净，去核。
2. 黄芪、首乌藤、当归、刺五加、桑叶和田七放入锅中，加入适量水，用大火煮沸，改用小火煮30分钟，去渣留汁，盛起待用。
3. 把小麦和红枣放入锅中，加入适量水，用大火煮沸，改用小火煮成粥。
4. 加入药汁和冰糖，拌匀，煮5分钟即成。

食用 早晚分食。

小麦

功效 补中益气，利水祛湿

用途	适用于气虚湿困所致的气短乏力、食少倦怠。
材料	粳米100克，扁豆30克，黄芪、党参各20克，生姜3片、盐适量。
做法	1. 粳米淘洗净；扁豆、黄芪、党参、生姜洗净。 2. 把黄芪、党参和生姜放入锅中，加入适量水，用大火煮30分钟，去渣留汁。 3. 加入粳米和扁豆，用小火煮成粥，下盐调味即成。
食用	早晚分食。

扁豆

功效 去湿健脾

用途	适用于气虚湿困所致的消化不良、水肿乏力、免疫力低下。
材料	粳米150克，红豆100克，黄芪、党参各20克，红糖适量。
做法	1. 红豆用清水浸泡1小时，洗净；粳米淘洗净；黄芪、党参洗净。 2. 把黄芪和党参放入锅中，加入适量水，用大火煮30分钟，去渣留汁。 3. 加入粳米和红豆，用小火煮成粥，加入红糖，拌匀食用。
食用	早晚分食。

红豆

功效 健脾益气

用途	适用于脾气虚弱所致的食少、气短乏力。
材料	糯米100克，白术20克，黄芪、党参各15克。
做法	1. 糯米淘洗净；白术、黄芪、党参洗净。 2. 把白术、黄芪和党参放入锅中，加入适量水，用大火煮沸后，改用小火煮30分钟，去渣留汁。 3. 加入糯米，用小火煮成粥，即可食用。
食用	早晚分食。

党参

功效 益气固表

用途	适用于脾肺虚弱之倦怠乏力、自汗气短。
材料	糯米80克，黄芪、浮小麦各30克，甘草5克，红枣5粒。
做法	1. 糯米淘洗净；黄芪、浮小麦、甘草洗净；红枣洗净，去核。 2. 把黄芪、浮小麦、甘草放入锅中，加入适量水，用大火煮沸，改用小火煮30分钟，去渣留汁。 3. 加入糯米和红枣，用小火煮成粥，即可食用。
食用	早晚分食。

浮小麦

黄芪玉竹肉苁蓉粥

| 功效 | 补肾壮阳，益气润燥 |

用途　适用于阳气不足所致的慢性支气管炎、月经不调、便秘、心悸气短、年老虚弱。

材料　粳米80克，黄芪25克，肉苁蓉、玉竹各20克，盐适量。

做法
1. 粳米淘洗净；黄芪、肉苁蓉、玉竹洗净。
2. 黄芪、肉苁蓉和玉竹放入锅中，加入适量水，用大火煮沸后，改用小火煮30分钟，去渣留汁。
3. 加入粳米，用小火煮成粥，下盐调味即成。

食用　早晚分食。

材料	食谱	页码
粳米	黄芪猪肝粥	82
	黄芪牛肉粥	82
	人参黄芪粥	83
	黄芪人参丹参粥	84
	阿胶黄芪粥	85
	黄芪桂圆肉红枣粥	86
	黄芪松子仁粥	87
	橙皮黄芪粥	88
	黄芪桂枝粥	88
	黄芪淮山生地粥	89
	黄芪党参扁豆粥	90
	党参黄芪红豆粥	90
	黄芪玉竹肉苁蓉粥	92
糯米	黄芪红枣羊肉粥	83
	黄芪当归粥	84
	黄芪内金粥	85
	黄芪花生粥	87
	黄芪党参白术粥	91
	黄芪浮小麦甘草粥	91
水产		
生鱼	高丽参北芪生鱼汤	74
	黄芪生鱼汤	75
田鸡	北芪首乌炖田鸡	79
	黄芪田七田鸡汤	79
白鳝	北芪党参炖白鳝	76
泥鳅	太子参黄芪泥鳅汤	75
带鱼	黄芪枳壳带鱼汤	71
	木瓜北芪带鱼汤	72
黄鳝	北芪南枣黄鳝汤	76
塘虱	黄芪塘虱汤	77
虾	黄芪虾仁汤	77
墨鱼	黄芪田七墨鱼汤	78
鲍鱼	鲍鱼北芪炖乌鸡	46
鲫鱼	黄芪白术鲫鱼汤	73
	黄芪香菇鲫鱼汤	74
鲤鱼	黄芪红豆鲤鱼汤	73
响螺	北芪党参炖螺片	78
豆类及豆制品		
红豆	黄芪红豆鲤鱼汤	73
	黄芪内金粥	85
	党参黄芪红豆粥	90
扁豆	北芪扁豆瘦肉汤	58
	黄芪党参扁豆粥	90
眉豆	北芪首乌炖田鸡	79
黄豆	黄芪黄豆排骨汤	66
黑豆	黄芪黑豆红枣茶	25
	黑豆北芪饮	43
	黑豆黄芪牛肉汤	69
豆腐	黄芪牛骨汤	70
腐皮	北芪腐竹猪肚汤	62

材料	食谱	页码
干果		
银杏	北芪腐竹猪肚汤	62
花生	北芪花生猪脚筋汤	64
	黄芪花生粥	87
蛋类		
鸡蛋	何首乌黄芪鸡蛋汤	50
	黄芪扁豆花鸡蛋汤	51
鸭蛋	北芪鸭蛋汤	52
菇菌		
香菇	虫草北芪水鸭汤	54
	黄芪香菇鲫鱼汤	74
雪耳	北芪雪耳苹果汤	60
黑木耳	黄芪黑木耳红枣茶	26
	黄芪猪肝粥	82
猴头菇	黄芪猴头菇鸡肉汤	49
	北芪猴头菇猪腱汤	63
肉类		
牛肉	黑豆黄芪牛肉汤	69
	黄芪牛肉粥	82
牛骨	黄芪牛骨汤	70
牛腩	北芪莲藕牛腩汤	70
牛腱	北芪淮山牛腱汤	69
羊肉	北芪桂枝羊肉汤	71
	黄芪红枣羊肉粥	83
猪肚	砂仁黄芪炖猪肚	61
	北芪腐竹猪肚汤	62
猪骨	黄芪芡实猪尾骨汤	65
	黄芪黄豆排骨汤	66
	黄芪粉葛排骨汤	66
	黄芪五味子排骨汤	67
	黄芪茯苓排骨汤	67
	北芪党参排骨汤	68
	黄芪猪骨汤	68
猪肺	北芪党参猪肺汤	61
猪脚	北芪花生猪脚筋汤	64
	高丽参黄芪猪脚汤	65
猪瘦肉	党参黄芪炖老鸽	53
	虫草北芪水鸭汤	54
	北芪薏米鹌鹑汤	55
	黄芪人参瘦肉汤	56
	黄芪灵芝瘦肉汤	56
	黄芪红藤瘦肉汤	57
	北芪天麻瘦肉汤	57
	北芪扁豆瘦肉汤	58
	虫草北芪瘦肉汤	58
	花旗参黄芪丝瓜汤	59
	黄芪淮山党参汤	59
	北芪雪耳苹果汤	60
	高丽参北芪生鱼	74
	太子参黄芪泥鳅汤	75

材料	食谱	页码
猪瘦肉	北芪党参炖螺片	78
	黄芪田七田鸡汤	79
	党参黄芪瘦肉粥	81
猪横脷	北芪薏米猪横脷汤	64
猪肝	黄芪猪肝汤	62
鸡	黄芪汽锅鸡	44
	黄芪人参炖老鸡	45
	黄芪熟地老鸡汤	45
	黄芪猴头菇鸡肉汤	49
	黄芪小白菜鸡肉汤	49
	黄芪党参鸡脚汤	50
	黄芪金银菜鸡肉粥	80
	黄芪当归鸡粥	81
乌鸡	鲍鱼北芪炖乌鸡	46
	北芪党参乌鸡汤	46
	北芪鹿尾乌鸡汤	47
	首乌黄芪乌鸡汤	47
	黄芪淮山乌鸡汤	48
	黄芪茯苓乌鸡汤	48
鸭	北芪陈皮老鸭汤	51
	虫草北芪水鸭汤	54
鸽	黄芪党参老鸽汤	53
	党参黄芪炖老鸽	53
	参茸虫草炖乳鸽	54
鹌鹑	北芪薏米鹌鹑汤	55
	黄芪白术鹌鹑汤	55
蔬果		
小白菜	黄芪小白菜鸡肉汤	49
	黄芪金银菜鸡肉粥	80
生姜	姜枣黄芪茶	24
	黄芪山楂荷叶饮	32
	黄芪党参葛根茶	40
	黄芪汽锅鸡	44
木瓜	木瓜北芪带鱼汤	72
马铃薯	黄芪牛骨汤	70
西红柿	黄芪牛骨汤	70
丝瓜	花旗参黄芪丝瓜汤	59
莲藕	北芪莲藕牛腩汤	70
橙皮	橙皮黄芪粥	88
苹果	北芪雪耳苹果汤	60
其他		
川椒	黄芪塘虱汤	77
金华火腿	北芪党参炖白鳝	76
茶	黄芪灵芝茶	34
	黄芪升麻花茶	42
菜干	黄芪金银菜鸡肉粥	80
蜂蜜	黄芪甘草蜂蜜茶	31
	黄芪火麻仁蜂蜜饮	31
	金银花黄芪茶	37
	黄芪二苓饮	37

餐桌上的中药

药食同源　防病抗病

人参、当归、田七、灵芝、红枣、茯苓
冬虫夏草、党参、山楂、燕窝、雪耳、陈皮

陆续出版　敬请关注

网络支持　 39健康网　www.39.net